# llama llama red pajama

P9-BYE-583

# llama llama red pajama

written and illustrated by
## Anna Dewdney

SCHOLASTIC INC.

New York  Toronto  London  Auckland  Sydney
Mexico City  New Delhi  Hong Kong  Buenos Aires

**L**lama llama
red pajama
reads a story
with his mama.

Mama kisses
baby's hair.
Mama Llama
goes downstairs.

Llama llama
red pajama
feels **alone**
without his mama.

Baby Llama wants a drink.

Mama's at the kitchen sink.

Llama llama
red pajama
calls down to
his llama mama.

Mama says
she'll be up soon.

Baby Llama
hums a tune.

Llama llama
red pajama
waiting waiting
for his mama.

Mama isn't
coming yet.
Baby Llama
starts to **fret.**

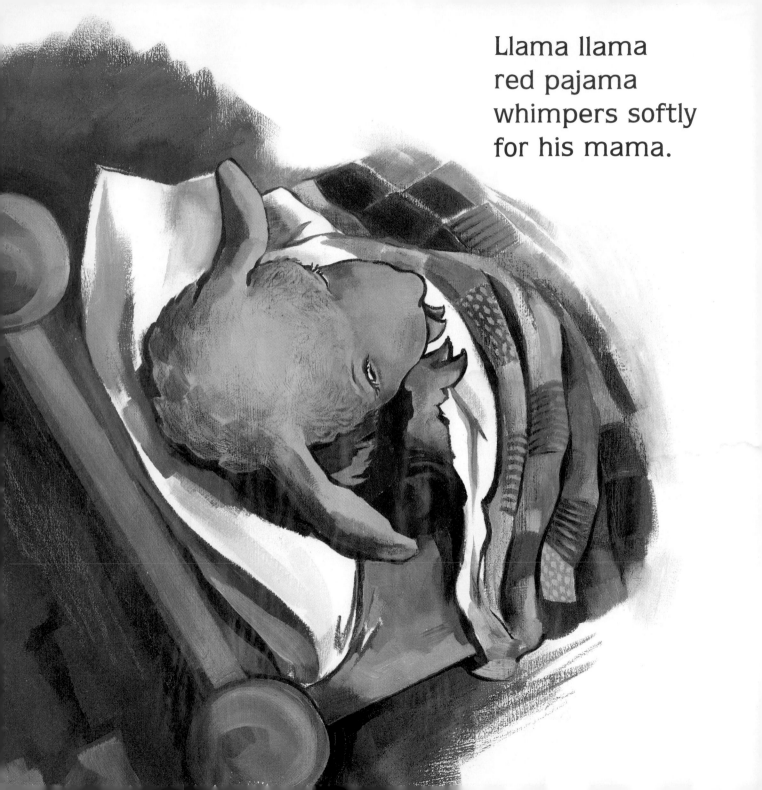

Llama llama
red pajama
whimpers softly
for his mama.

Mama Llama
hears the phone.

Baby Llama
starts to **moan**. . . .

Llama llama
red pajama
listens, quiet,
for his mama.

What is Mama Llama doing?

Baby Llama
starts **boo hoo-ing.**

Llama llama
red pajama
hollers loudly
for his mama.

Baby Llama
stomps and **pouts.**

Baby Llama
jumps and **shouts.**

Llama llama
red pajama
in the dark
without his mama.
Eyes wide open,
covers drawn . . .
What if Mama Llama's **GONE?**

Llama llama
red pajama
weeping, wailing
for his mama.
Will his mama ever come?
Mama Llama, **RUN RUN** RUN!

Baby Llama,
what a **tizzy!**
Sometimes Mama's
very busy.

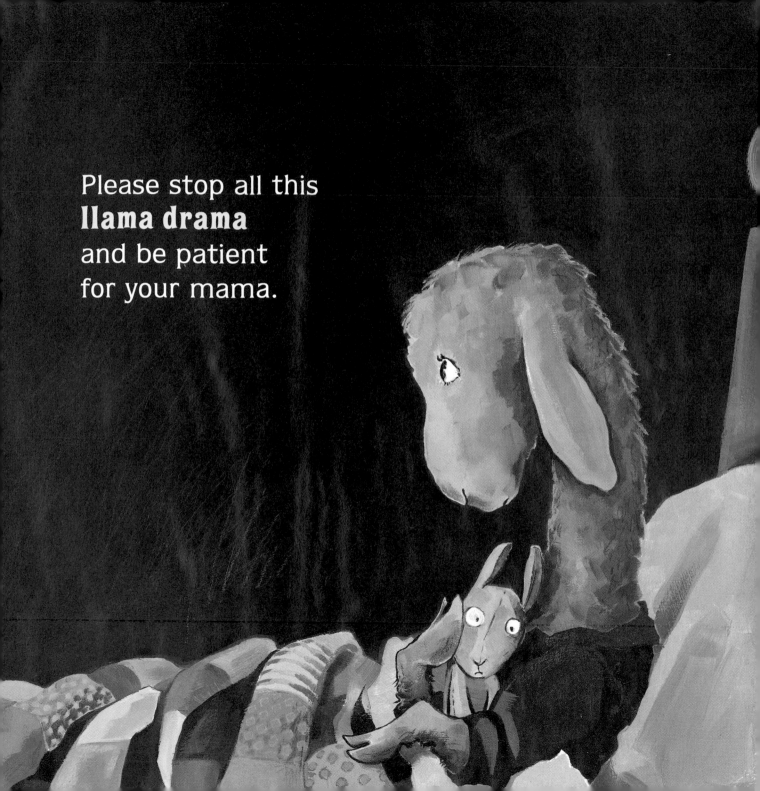

Please stop all this
**llama drama**
and be patient
for your mama.

Little Llama,
don't you know,
Mama Llama
loves you so?

Mama Llama's
always near,
even if she's
not right **here.**

Llama llama
red pajama
gets two kisses
from his mama,
snuggles pillow
soft and deep . . .

Baby Llama
goes to **sleep.**